ZHONGGUOHUA
MINGJIA ZUOPINJI
LIN SHAOFANG
QIHUA JINGXUAN

第 **8** 辑

中国画名家作品集

林少芳漆画精选

主编／贾德江

● 北京工艺美术出版社

序

□ 卢延光

少芳是个优秀的教师，在少年宫她的教学成绩得到业界肯定，在市教育界她应该是较突出的一位。前几年，我领衔创作城隍庙这幅大型漆壁画《开天辟地神仙卷》时，在广州美协漆画艺委会里就与苏星主席特别挑选了她和关慧仪作为主体创作者。如此一幅巨型壁画，四位漆画高手带领着四十多位美术学院的优秀研究生和漆画专业本科生，创作绘制多个月，最终画成放于广东都城隍庙大殿内，令我赞赏和满意。在创作、协调，放稿、着色、勾勒上，少芳日日夜夜地努力投入，为漆壁画创作添砖加瓦，提升了自己的能力，留下了自己的印记。

少芳最近创作的一批时装系列的漆画，和过去比有了很大的进步和突破。素雅的色调，现代的造型，抽象的符号却溶化于画面里，形成一种强烈的视觉冲击力，非常醒目。能够画到这个层面，在广州美术领域，她确实是很优秀的。时装系列中脱开抽象转到具象的两幅，可能是少芳近期艺术追求中较为有新意的画幅，清新可人，造型独特，构图新颖令人有种眼前一亮的新鲜感。这样的作品，在广州也是比较优秀的。少芳是个脱颖而出的优秀画家，看到她创造力和想象力如此充沛和强劲，其潜力不可限量，更希望将来，她能往更高山峰攀登。此为序。

2015 年 9 月

（本文作者系原广东省美术家协会副主席、广州艺术博物院院长、广州市美术家协会主席）

开天辟地神仙卷之福禄寿／2010 年／漆画／20cm × 30cm

开天辟地神仙卷之南极仙翁／2010年／漆画／40cm×40cm

漆的美学思考　□ 许俊炜

　　美的评判标准是什么？这是思考每一件艺术作品前不可避免要回答的问题。

　　亚里士多德认为"美"即是"整体性"，"美与不美，艺术作品与现实事物，分别就在于美的东西和艺术作品里，原来零散的因素结合成了统一体"。亚里士多德把秩序、匀称等比例关系与有机整体的内在和谐作为"美"的考量标准，这是西方古典主义的美学观点。要之，"美在于物体形式"。

　　老子是中国古典美学之滥觞，然而老子的美学思想并不是以"美"为主要范畴，而是通过"道"、"气"、"象"作为"美"考量的标准。南北朝美学家宗炳讲的"澄怀味象"、"澄怀观道"，即是老子美学思想的延伸。简而言之，中国古典主义美学，不只是把握物象的形式美，更注重把握事物的本体与生命，即"美"既在于物体的形式，更在于其精神。朱光潜认为"美是心物婚媾后所产生的婴儿。美感起于形象的直觉"，"美之中要有人情也要有物理，二者缺一都不能见出美"。

　　站在东西方美学史、古今美学思想的交汇

《开天辟地神仙卷》天界圣境之女娲造人篇（附局部）/ 2010 年 / 漆画

点上，我们不难得出结论：美即是主观与客观的统一，是物质与精神的和谐。

任意一件艺术作品都是以"美"为追求，漆画作品亦然。不妨以亚里士多德对事物的四种"存在原因"对漆画下定论：漆料是其物质元素，即"质料因"；画面是其实现形状，即"形式因"；对于美的追求是形成动力，即"动力因"；漆画呈现精神底蕴是其所要达到的效用，即"目的因"。

因为"言不尽意"所以产生了艺术，故子曰："立象以尽意。"画家通过漆画这种古老却又年轻的艺术形式展现了它丰富的精神世界——华而实、精而致、静而远。

作品集的"漆彩斑斓"部分以红黑金为主色调，华彩而震撼的"象"，实际上沉淀了许多静谧与安详的"意"。独具西关风情的画面是电影胶卷般慢慢流动的时光，新生命与新生活的憧憬熔铸在每一幅画面里。"楼头画角风吹醒，入夜重门静"的深邃与莫测，是尽管前路漫漫莫测，但"我自闲庭信步"的乐观与自信。斑驳的笔触是世态的繁嚣，流金沉淀下的岁月，融汇成了安宁的意境，"神情玄定，处之弥泰"。

作品集的"蛋壳镶嵌"部分凸显了画家精妙且细腻的技法和笔触，看似废弃无用的蛋壳

却在画家的妙笔丹青下转化为大用之物，看似坚硬的蛋壳，却由于大小不一、疏密相间而由"硬物"转化为"软物"。"破碎的白"展现出来别样的生命元素，精而致的"象"背后是画家对于生命与吉祥"静而远"的独特诠释和审美追求。

作品集的"漆色淳朴"部分中《金银公主》系列作品似乎与其"静而远"的风格格格不入，实则不然。这是以最淳朴的"象"展现最时尚的"意"，从而追求合乎时代的"美"。古今文明相互碰撞时会产生出人意料的奇幻效果，达成新的物质与精神的和谐，这正是对古老的漆画艺术不变的挚爱与现代人蓬勃向上、追求幸福的愿景的有机结合。

东方的美是富有诗性的。漆画的美也是富有诗性的，从七千年前河姆渡的朱漆碗，到如今蓬勃发展的漆画艺术，贯穿千年的漆的历史就是一首道不尽的长篇史诗。如今，画家秉持自己独特的信念，对于"美"的别样追求，参与了这首古今艺术家共同叙写的史诗创作。

千百年后，"华而实、精而致、静而远"的精神世界或许成为震古烁今的先声。

开天辟地神仙卷之财神赵公明／2010年／漆画／40cm × 40cm

漆色澄怀　象外环中 □苏 星

林少芳漆画作品富有古朴而斑斓的色彩、晶莹而深邃的质感、天趣的肌理，细品作者的漆画系列可以感受到作者大胆尝试"借力"油画的写实、重彩的工笔、国画的写意、版画的黑白、水彩的渲染，从而使自己的作品无论在材质和技艺上都表现出宽阔的包容和与众不同的表现力。

作品《甜美》给人宁静安详的感觉：夜风中红叶片片飘然而下，在灯光中展示着辉煌的色彩，在色彩上强烈的对比中却映衬出幽静的意境。红色透明漆在磨显中丰富与自然的层次变化，说明了作者对漆画材料运用和意境表达方面已有了自己独特的个人诠释，在绘画意境的展现手法上有很高的艺术造诣。

作品《岁月》统一的色调以斑斓的漆肌理为用笔，深入细致的漆色组合，形成了自我的漆画艺术语言，将画家对家乡、对童年的回忆与怀念融入作品中。作者将现实的画面与乡情

《开天辟地神仙卷》天界圣境之盘古开天篇（附局部）／2010年／漆画

融合，以漆肌理为其艺术语言，重新描绘构筑自己心中的乡土情怀画面，虽然色彩单一却通过肌理、质感、光泽的视觉语言，诉说着岁月流逝而留下的生命痕迹。

作品《时尚》以时装速写的神韵、简约的线条，表达出时代的艺术语境，将传统技法与时尚造型相结合，在漆工艺的罩染上下功夫，罩漆均浑然变化自如，既有当代艺术的简约风格，又体现了作者对当下时代对时尚追求的艺术语境，这是作者在创作广东都城隍庙漆壁画后，对人物在漆画表达方面的感悟和新探索，形成了自己个人的特色。

从作品《觅》中更能感受到作者经历日本文化交流与学习后的再次提升，看到日本漆文化给作者创作风格上的影响。小猫咪细致的白壳造型镶嵌，立体而精准，突现出猫的神韵生动，作者果断地删去明暗和色彩的变化，让镶嵌技法中的裂纹与造型的细致精美地融合，让我们

看到艺术家的修养在不断地进步和拓展。

　　林少芳是一位细致而兼有大气的漆画家，满怀热情地去完成广东省与广州市漆画艺委会繁忙的工作，细致而高效受到蔡克振老师等众多艺术家的赞扬，同时她也投身漆画普及教育，推动青少年认识中华艺术瑰宝——漆画，积极开展少儿漆画的教学，为广东省与广州市漆画艺术传承作出不少贡献。她在艺术道路上更是努力奋进，勤奋好学，多次前往日本轮岛研修漆艺，与国内外的漆艺家共同交流、共同进步，不断完善自身的艺术风格。我相信在未来的艺术道路上，林少芳一定能走得更快更远！

（本文作者系中国美术家协会漆画艺术委员会委员、广东省美术家协会漆画艺术委员会主任、广州市美术家协会主席）

天上人间之太阳帝君 / 2010年 / 漆画 / 533cm × 341cm

甜美／2009年／漆画／130cm × 120cm

一帘西关情／2003 年／漆画／100cm × 80cm

清平乐之二 ／ 2004 年 ／ 漆画 ／ 80cm × 60cm

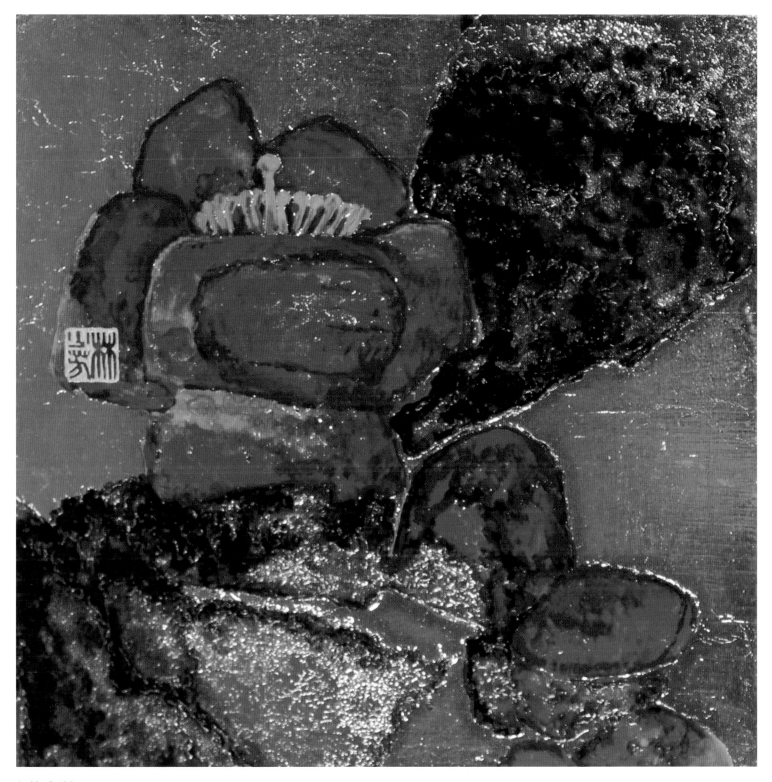

红棉系列之四 ／ 2012年 ／ 漆画 ／ 30cm × 30cm

红棉系列之三／ 2012 年／漆画／ 30cm × 30cm

殷之一 / 2015年 / 漆画 / 80cm × 60cm

魅 / 2005 年 / 漆画 / 180cm × 140cm

岁月 / 2007年 / 漆画 / 122cm × 90cm

红棉系列之一／2012 年／漆画／30cm × 30cm

清平乐之一 / 2004 年 / 漆画 / 80cm × 60cm

飒爽英姿／2006年／漆画／80cm×80cm

殷之一 / 2015年 / 漆画 / 80cm × 60cm

金银公主／2011年／漆画／100cm × 38cm × 6

童年 / 2002 年 / 漆画 / 100cm × 80cm

凝 / 2013年 / 漆画 / 30cm×20cm

醉赏 / 2014年 / 漆画 / 30cm×20cm

端 / 2013年 / 漆画 / 30cm×20cm

眸 / 2013年 / 漆画 / 30cm × 20cm

顾 ／ 2013年 ／ 漆画 ／ 30cm × 20cm

比翼／ 2014年／漆画／ 30cm×20cm

喜晴／2014年／漆画／30cm×20cm

春意 / 2014年 / 漆画 / 30cm × 20cm

觅 / 2012年 / 漆画 / 30cm × 20cm